folio cadet ■ pren

Traduction d'Anne de Bouchony
Maquette : Claire Poisson

ISBN : 978-2-07-063353-1
Titre original : *I Want my Tooth!*
Publié par Andersen Press Ltd., Londres
© Tony Ross 2002, pour le texte et les illustrations
© Gallimard Jeunesse 2002, pour la traduction française,
2010, pour la présente édition
Numéro d'édition : 290464
Loi n° 49-956 du 16 juillet 1949
sur les publications destinées à la jeunesse
Premier dépôt légal : septembre 2010
Dépôt légal : mai 2015
Imprimé en France par I.M.E.

Je veux ma dent !

Tony Ross

GALLIMARD JEUNESSE

La petite princesse avait des dents MAGNIFIQUES.

Elle les comptait chaque matin. Puis elle les brossait...

... puis les recomptait.
Elle en avait VINGT.

Certains de ses amis avaient moins de vingt dents. Mais CEUX-CI n'étaient pas de sang ROYAL.

Son petit frère, qui ÉTAIT, lui, de sang royal, n'avait PAS de dent du tout.

– Mes dents ne sont-elles pas magnifiques ? disait la petite princesse.

– Et bien alignées, répondait le général.

– Rangées de façon impeccable, ajoutait l'amiral.

– Mes dents ne sont-elles pas magnifiques ?
disait la petite princesse.

– Des dents ROYALES ! approuvait le roi.

Et, chaque soir, la petite princesse brossait de nouveau ses dents royales.

- Tu as des dents magnifiques parce que tu ne manges que des bonnes choses, dit le cuisinier.

– Compte-les si tu veux, proposa la petite princesse.

– Une... deux... trois... quatre...

– Tiens, dit le cuisinier, celle-ci BOUGE !

– Aaaaaaah! s'écria la petite princesse.
Il y en a une qui BOUGE!

– Aaaaaaah! s'écria la gouvernante. Il y en a une qui BOUGE!

16

La dent branlante bougeait un peu PLUS chaque jour.

Mais la dent branlante n'était pas douloureuse, et la petite princesse s'amusa rapidement à la faire bouger.

Et elle la fit bouger, bouger encore, jusqu'au terrible jour où la dent branlante disparut.

3

– JE VEUX MA DENT ! hurla la petite princesse.

– Je peux t'en donner une, dit la dentiste, en attendant que la nouvelle pousse!

– Je veux ma dent TOUT DE SUITE! répondit la petite princesse.

Au palais, tout le monde se mit à chercher la dent manquante...

... mais elle était INTROUVABLE.
  – JE VEUX MA DENT ! hurlait la petite princesse.

- ELLE VEUT SA DENT! criait la
gouvernante.

– Tout va bien, dit la petite princesse.
Je l'ai RETROUVÉE...

– C'est LUI qui l'a !

Avez-vous toujours été auteur-illustrateur ?
Non, je n'ai pas toujours été écrivain.
J'ai commencé par être bébé. Puis, j'ai
appris à écrire et j'ai juste continué.
Bien sûr, j'ai fait d'autres choses, comme
travailler dans la publicité ou enseigner
le dessin.

Combien de livres avez-vous publiés ?
Je n'ai jamais compté. Je *pense* en avoir
écrit plus d'une centaine et illustré plus
d'un millier.

Faire rire, c'est essentiel pour vous ?
Oui, c'est essentiel. Chaque histoire doit
transmettre une émotion, que ce soit
de l'humour, de la peur ou de l'amour.
J'aime l'humour, mais c'est ce qu'il
y a de plus dur à écrire ! J'aime aussi
dessiner des choses amusantes.

**Qu'est-ce qui vous a inspiré
cette histoire ?**
C'est un souvenir : la sensation
merveilleuse (tout du moins j'adorais)
de faire bouger, d'avant en arrière,
une dent avec ma langue.
C'était encore mieux quand je pouvais
pencher ma dent à l'horizontale et qu'elle
ne tombait TOUJOURS PAS.
J'adorais aussi, quand elle tombait enfin,
la mettre sous mon oreiller... La petite
souris ! Quel bon souvenir !

**Est-ce que vous vous souvenez de la
première dent que vous avez perdue ?**
Je ne me souviens pas de la première dent
que j'ai perdue. Je devais m'inquiéter
un peu mais, dès que j'ai compris, j'ai
apprécié cet événement, j'étais impatient
de voir la nouvelle dent. Quand ma mère
est morte, j'ai retrouvé une minuscule
dent enveloppée dans un mouchoir de
papier dans son porte-monnaie : peut-
être ma première dent...

→ je commence à lire

Pour les jeunes apprentis lecteurs
Niveau 1

nº 1 *Armeline Fourchedrue*
par Quentin Blake

nº 2 *Je veux de la lumière !*
par Tony Ross

nº 3 *Le garçon qui criait :
«Au loup !»*
par Tony Ross

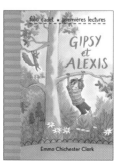

nº 4 *Gipsy et Alexis*
par Emma Chichester Clark

nº 16 *Lave-toi les mains !*
par Tony Ross

n° 20 *Crapaud*
par Ruth Brown

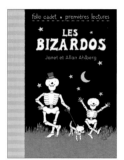

n° 23 *Les Bizardos*
par Janet et Allan Ahlberg

n° 24 *Je ne veux pas
aller au lit !*
par Tony Ross

n° 25 *Bonne nuit, petit
dinosaure!* par Jane Yolen
et Mark Teague

n° 27 *Meg et la momie*
par Helen Nicoll
et Jan Pieńkowski

n° 28 *But !*
par Colin McNaughton

n° 37 *Grand-Mère Loup,
y es-tu ?*
par Ken Brown

n° 39 *Je veux ma dent !*
par Tony Ross

n° 40 *J'ai vu un dinosaure*
par Jan Wahl
et Chris Sheban

→ **je lis tout seul**

Pour les jeunes apprentis lecteurs
Niveau 2

n° 26 *Le voleur de gommes*
par Alexia Delrieu
et Henri Fellner

n° 31 *Un chat de château*
par Janine Teisson
et Clément Devaux

n° 32 *C'est le néléchat!*
par Marie Leymarie
et Clotilde Perrin

n° 33 *La plante carnivore*
par Dina Anastasio
et Jerry Smath

n° 34 *Les tricots
de Mireille l'Abeille*
par Antoon Krings

n° 35 *Le coiffeur
de Mireille l'Abeille*
par Antoon Krings

n° 36 *Les Pyjamasques
au zoo*
par Romuald

n° 38 *Le roi des bons*
par Henriette Bichonnier
et Pef